STANKY & CECE

- FUERA DE CONTROL -

CHAD HANSTEDT & KATHY SPARROW

ILUSTRADO POR:

JACOB GRAY & JAMES KOENIG

Stanky & Cece: Fuera de control

Por Chad Hanstedt & Kathy Sparrow

Asesoría de escritura Kathy Sparrow - www.kathysparrow.com

Ilustrado por Jacob Gray - www.jacobgrayart.com

Diseño de los personajes & dirección de arte de James Koenig - www.freelancefridge.com

Traducido por Claudia López

ISBN 979-8-9858701-9-0

"Para aquellos cuyas vidas están fuera de control, que encuentren amor, esperanza y paz".

- Chad Hanstedt -

"Jude, Max, Abigail, Naomi y Bodhi – Que su imaginación vuele y que siempre tomen buenas decisiones".

- Kathy Sparrow -

(alias Mio y Grandma KK)

"A mi maravillosa esposa, constante fuente de inspiración".

- Jacob Gray -

"Para mis futuros hijos, que tengamos increíbles aventuras juntos".

- James Koenig -

"Hola, Stanky", dice Cece. "¿Tienes tus gafas protectoras?".

"¿Adónde van ustedes dos hoy?", pregunta Flatbed Fred.

“Al río. Vamos a vernos con nuestros amigos”, explica Stanky.

“Suena divertido”, responde Flatbed Fred. “Tengan cuidado”.

"¿Puedo manejar?", pregunta Cece.

"Claro".

“Súbete”, dice Stanky.

“Nos vemos allá”, dice un conejo. “Vamos por un atajo.”

PROHIBIDO
EL PASO
ICE

“¡Apostemos una carrera!”, grita Cece.

Stanky y Cece salen corriendo por el sendero.
Cece grita, “¡Ahhh!”.

“¡Cuidado, Cece! Eso estuvo cerca”, Dice Stanky de manera nerviosa. “Tal vez yo debo conducir”.

“No, no, yo lo puedo hacer”, dice Cece.

Stanky y Cece alcanzan la cima de una gran colina, conduciendo rápido y riendo.

“¡Oh, no!”, Stanky grita mientras frena y se desliza por la carretera destapada.

Cece salta del Jeep. “¡Cuidado, Stanky!”.

¡Nali se apresura a sacar todas las ovejas del camino antes de que sea demasiado tarde!

NALI

Stanky se aleja de Nali y la manada y se estrella.

Stanky se queja. “¡Ay!”.

Cece sacude la cabeza para quitarse la toalla de la cara. “¡Oh, no! Stanky, ¿estás bien?”.

Stanky grita: "No puedo moverme".

Nali lo empuja con la nariz.

“Aguanta un poco, Stanky. Iré a buscar ayuda”.

“Flatbed Fred llegará pronto.
Tu abuelo sabrá qué hacer”.

“Parece que te rompiste el eje, Stanky.
Será mejor que te llevemos al taller”.

"Otto te hará sentir mejor", dice Flatbed Fred.

OTTO's
llantas
¡Aceite!

Otto sale. "¿Qué pasó, Flatbed Fred?".

“Estos dos se dirigían al río y las cosas se salieron de control”, explica Flatbed Fred.

“Bueno, Stanky. Tu eje definitivamente está roto”.

Cece llora, “¿Va a estar bien?”.

Otto asiente. “Tengo las herramientas perfectas para este trabajo”.

"¡En poco tiempo estarás bien, Stanky! Como nuevo", explica Otto.

Otto dice, “Tenemos que dejar enfriar esto toda la noche, Stanky”. El eje al rojo vivo.

“¿Quiere decir que no puedo ir a casa?”, Stanky pregunta lloriqueando.

“No hasta mañana”.

“¿Cómo te sientes?”.

“Un poco tembloroso”, dice Stanky. “Eso me causó un poco de miedo. Espero poder rodar sobre las rocas como solía hacerlo”.

“Todo esto fue mi culpa. No debería haber estado conduciendo o usando esa toalla alrededor de mi cuello”, admite Cece.

“No es tu culpa, Cece”, dice Stanky. "Yo debería haber estado conduciendo".

“Le acabo de decir a tu abuelo que pasarás la noche aquí.
Toca la bocina si necesitas algo.
Estaré al lado en mi casa”.

"Parece que tengo que pasar la noche aquí solo", dice Stanky lloriqueando de nuevo.
“No. Me quedo contigo”, dice Cece mientras se recuesta para pasar la noche.
“Gracias, Cece. Me siento mejor contigo aquí”.

A la mañana siguiente, Cece está en el asiento del pasajero. “¡Ánimo que lo logras, Stanky!”.

“Tengo miedo de que me duela”.
Respira profundo y comienza a moverse.

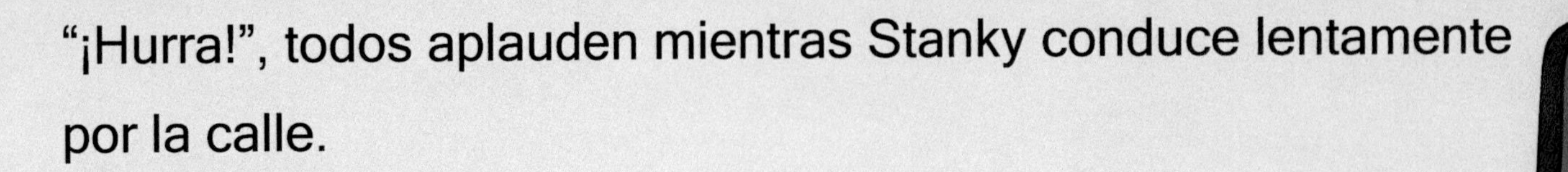

"¡Hurra!", todos aplauden mientras Stanky conduce lentamente por la calle.

"¡Gracias, Otto!"

"Es un placer, Stanky", Otto sonríe. "Solo ten más cuidado de ahora en adelante".

Flatbed Fred grita, “¡Vamos a celebrar al río!”.

Cece dice, “Creo que aprendí mi lección, Stanky. Podemos estar a salvo– y divertirnos!”.

ICE

Preguntas para el lector

- ¿Recuerdas algún momento en el que podrías haber estado jugando demasiado fuerte y alguien se lastimó? ¿Qué aprendiste de esa experiencia?

- ¿Alguna vez te has hecho daño y has necesitado que tus amigos te den ánimo? ¿Cómo te hizo sentir eso?

- ¿Qué podrían haber hecho Stanky y Cece de manera diferente para mantenerse a salvo?

- SOBRE LOS AUTORES -

CHAD HANSTEDT siempre está creando: música con algunas de sus guitarras favoritas, vehículos todoterreno, piezas de automóviles personalizadas y muebles con su equipo de soldadura y fabricación de metales y, por supuesto, Stanky & Cece con su imaginación y amor por las historias. Es un ávido entusiasta de los jeeps e ingeniero aeroespacial, que se vio envuelto en el mundo de la paternidad soltera cuando enviudó poco después del nacimiento de su hija hace 16 años. Chad vive en Arizona y dedica su tiempo a ser padre, tocar música, practicar "ingeniería" y emprender aventuras con sus jeeps y Cece.

KATHY SPARROW desde niña supo que quería ser escritora. Y lo es, de no ficción y ficción para adultos, poesía (principalmente para su propia alma) y libros para niños. Como coach de escritura y profesora universitaria, guía a los aspirantes a escritores hacia la magia de compartir sus historias con otros. Abuela de cuatro nietos artísticos y creativos, Kathy se puede encontrar a menudo persiguiendo peces con su caña de pescar en California, Colorado, México, o donde sea que la lleven sus viajes. Para más información sobre Kathy y su trabajo visita www.kathysparrow.com.

- Sobre los Ilustradores -

Jacob Gray es un gran fanático de todo tipo de arte del dibujo, desde tiras cómicas hasta ilustraciones de libros de cuentos. ¡Le gusta tanto que lo hace para ganarse la vida! Pasa su tiempo libre en el sofá dibujando junto a su esposa, Madison, y sus dos perros, Zeus y Percy.

James Koenig es un ilustrador que reside en Arizona. Vive con su esposa, Corissa, y su perro, Bailey. James comenzó a dibujar casi tan pronto como nació. Siempre fue una de sus pasiones y finalmente lo convirtió en una carrera cuando creció –el hecho de si realmente creció permanece en debate. James ha ilustrado más de 55 libros hasta el momento. Además de libros, también ha desarrollado personajes e ilustraciones para innumerables productos, juguetes, juegos y otros. A James le encanta colaborar con otros artistas, como Jacob. Fueron colegas mientras estudiaban en el Instituto de Arte de Phoenix. Puedes ver más de su trabajo en su sitio web: www.freelancefridge.com.

- Sobre la Traductora -

Claudia Lopez es una amante de las historias en diferentes lenguas y de diversas culturas. Claudia puede leer historias en español –su lengua nativa–, inglés, portugués, italiano y francés. Le apasiona entender la historia que quiere manifestarse a través su vida, para ello estudia mucho, sobretodo a sí misma. Le ayuda la práctica de meditación, yoga y la conexión con su comunidad. También le apasiona ser un instrumento para que las personas entiendan sus propias historias y esto lo hace en su papel de coach.

Made in the USA
Las Vegas, NV
05 October 2023